UDC

中华人民共和国国家标准

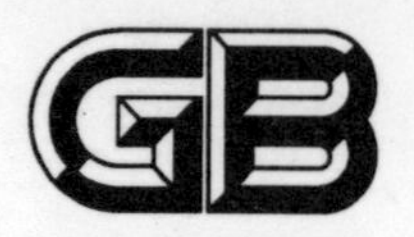

P

GB/T 51090－2015

# 色织设备工程安装与质量验收规范

# Code for installation and quality acceptance of yarn-dyed woven equipment engineering

2015－02－02 发布　　　　2015－10－01 实施

中华人民共和国住房和城乡建设部
中华人民共和国国家质量监督检验检疫总局
联合发布

中华人民共和国国家标准

# 色织设备工程安装与质量验收规范

Code for installation and quality acceptance of yarn-dyed woven equipment engineering

**GB/T 51090 - 2015**

主编部门:中 国 纺 织 工 业 联 合 会

批准部门:中华人民共和国住房和城乡建设部

施行日期:2 0 1 5 年 1 0 月 1 日

中国计划出版社

2015 北 京

中华人民共和国国家标准
**色织设备工程安装与质量验收规范**
GB/T 51090-2015
☆
中国计划出版社出版
网址：www.jhpress.com
地址：北京市西城区木樨地北里甲11号国宏大厦C座3层
邮政编码：100038　电话：(010) 63906433 (发行部)
新华书店北京发行所发行
三河富华印刷包装有限公司印刷

---

850mm×1168mm　1/32　2.125印张　50千字
2015年6月第1版　2015年6月第1次印刷
☆
统一书号：1580242·681
定价：13.00元

# 中华人民共和国住房和城乡建设部公告

**第730号**

## 住房城乡建设部关于发布国家标准《色织设备工程安装与质量验收规范》的公告

现批准《色织设备工程安装与质量验收规范》为国家标准，编号为GB/T 51090—2015，自2015年10月1日起实施。

本规范由我部标准定额研究所组织中国计划出版社出版发行。

**中华人民共和国住房和城乡建设部**

**2015年2月2日**

# 前　言

本规范是根据住房和城乡建设部《关于印发〈2013 年工程建设标准规范制定、修订计划〉的通知》(建标〔2013〕6 号)的要求,由恒天重工股份有限公司会同有关单位共同编制完成的。

本规范在编制过程中,编制组根据我国色织行业发展现状和设备特点,总结了我国色织设备的安装和运行经验,广泛征求了全国有关单位和专家学者的意见,经反复讨论、修改,最后经审查定稿。

本规范共分 8 章,主要内容包括总则,术语,基本规定,筒子纱和经轴染色主要设备工程安装,牛仔布纱线染色主要设备工程安装,织造主要设备工程安装,电气设备及控制系统的要求,设备的试运转与验收。

本规范由住房和城乡建设部负责管理,由中国纺织工业联合会负责日常管理,由恒天重工股份有限公司负责具体技术内容的解释。本规范在实施过程中,如发现需要修改和补充之处,请将意见或建议寄至恒天重工股份有限公司(地址:河南省郑州市高新区梧桐街 258 号,邮政编码:450012,电子邮箱:pdm6471@163.com),以供今后修订时参考。

本规范主编单位、参编单位、主要起草人和主要审查人:

**主 编 单 位:**中国纺织工业联合会

恒天重工股份有限公司

**参 编 单 位:**鲁泰纺织股份有限公司

立信染整机械(深圳)有限公司

邵阳纺织机械有限责任公司

中国纺织机械器材工业协会

**主要起草人:**亓国红　耿彩花　崔运喜　刘淑云　林达明
王智山　林　健　邱登辉　孙凉远　李雪清
李治宽　陈鹏飞　叶军芳

**主要审查人:**张世平　黄鸿康　王立新　吴玉华　随红军
卢士艳　姜茂琪　冯雪良　罗　俊　卢焦生
孙晓玲　马丽娜

# 目　次

# Contents

# 1 总 则

**1.0.1** 为了统一色织设备工程安装与质量验收，加强色织设备工程安装质量管理，保证工程质量，制定本规范。

**1.0.2** 本规范适用于以棉纱、化纤纱、棉和化纤等混纺纱为原料，采用筒子纱染色、经轴染色、球经束状染色、染浆联合工艺的色织工厂的设备工程安装与质量验收。

**1.0.3** 色织设备工程安装与质量验收除应符合本规范外，尚应符合国家现行有关标准的规定。

# 2 术 语

**2.0.1** 筒子纱染色 package yarn-dyed

将纱线卷绕在不锈钢弹簧筒管或布满孔眼的塑料筒管上，套在染色机载纱器的染柱上，然后置入染色机内，借助于主泵的作用，使染液在纱线之间穿透循环，实现纱线染色的工艺过程。

**2.0.2** 经轴染色 beam yarn-dyed

按色织经纱色相和数量的要求，在松式整经机上将原纱卷绕在有孔的经轴上，将其装在染色机载纱器上，然后置入染色机内，借助于主泵的作用，使染液在纱线之间穿透循环，实现纱线染色的工艺过程。

**2.0.3** 球经束状染色 ball warp rope yarn-dyed

将一定数量的经纱集成束状球经，然后将多只球经同时送入染槽内的染液中浸染，通过轧辊的轧压实现染色的工艺过程。

# 3 基本规定

## 3.1 设备基础

**3.1.1** 设备安装基础应符合下列规定：

**1** 设备基础施工应符合现行国家标准《机械设备安装工程施工及验收通用规范》GB 50231 的有关规定。

**2** 设备就位时，设备基础强度应符合设计要求。设备基础混凝土强度检测应符合现行国家标准《混凝土强度检验评定标准》GB/T 50107 的有关规定。

**3** 设备基础不得有裂纹、起壳等缺陷，二次灌浆的混凝土标号应高于基础混凝土标号一级。

**4** 设备安装基础应根据设备安装地脚图施工，以及预留地脚螺栓坑、吸风排风口、预埋电线进线管口、压缩空气管口等。

**5** 设备基础允许偏差及检验方法应符合表 3.1.1 的规定。

**表 3.1.1 设备基础允许偏差及检验方法**

| 序号 | 项 目 | 允许偏差 | 检验方法 |
| --- | --- | --- | --- |
| 1 | 设备基础中心线与网柱中心线位置 | ±20mm | 用拉线、钢卷尺检测 |
| 2 | 设备基础各平面标高 | 0<br>−20mm | 用水准仪检测 |
| 3 | 基础平面外形尺寸 | ±20mm | 用钢卷尺检测 |
| 4 | 凸台基础平面外形尺寸 | 0<br>−20mm | 用钢卷尺检测 |
| 5 | 凹台基础平面尺寸 | +20mm<br>0 | 用钢卷尺检测 |

**续表 3.1.1**

| 序号 | 项　　目 | 允许偏差 | 检 验 方 法 |
|---|---|---|---|
| 6 | 基础上平面的水平度 | 5/1000，<br>10mm(全长) | 用水准仪或水平仪检测 |
| 7 | 基础立面垂直度 | 5/1000，<br>10mm(全长) | 用线锤法或经纬仪检测 |
| 8 | 预留地脚螺栓孔中心位置 | ±10mm | 用钢板尺或钢卷尺检测 |
| 9 | 预留地脚螺栓孔深度 | +20mm<br>0 | 用钢板尺检测 |
| 10 | 预埋地脚螺栓顶端标高 | +20mm<br>0 | 用钢板尺或钢卷尺检测 |
| 11 | 预埋地脚螺栓中心距 | ±1.5mm | 在每组地脚螺栓的根部和顶部两处用钢卷尺检测 |

**3.1.2** 设备安装基础面弹线允许偏差及检验方法应符合表3.1.2的规定。

**表 3.1.2　设备安装基础面弹线允许偏差及检验方法**

<table>
<tr><th>序号</th><th colspan="2">项　　目</th><th>允许偏差(mm)</th><th>检 验 方 法</th></tr>
<tr><td>1</td><td colspan="2">全机中心线地桩基准点</td><td>±1.0</td><td>用钢板尺检测</td></tr>
<tr><td>2</td><td colspan="2">墨线宽度</td><td>±0.5</td><td>用钢板尺检测</td></tr>
<tr><td>3</td><td rowspan="3">墨线直线度</td><td>线长≤20m 时</td><td>0.5</td><td rowspan="3">用经纬仪或直径不大于 0.5mm 的钢丝线检测</td></tr>
<tr><td>4</td><td>20m<线长≤50m 时</td><td>1.0</td></tr>
<tr><td>5</td><td>线长>50m 时</td><td>2.0</td></tr>
<tr><td>6</td><td colspan="2">基础坐标线(十字线)垂直度</td><td>1.0</td><td>勾股弦法、用钢卷尺检测</td></tr>
<tr><td>7</td><td rowspan="2">各机台的辅助线与坐标线的距离</td><td>平行距离≤1m 时</td><td>±0.5</td><td rowspan="2">用钢卷尺在辅助线的两端检测</td></tr>
<tr><td>8</td><td>平行距离>1m 时</td><td>±1.0</td></tr>
</table>

**3.1.3** 大型设备安装时，厂房、场地应能满足设备拆卸维修的要求。

## 3.2 地脚螺栓、垫铁与灌浆

**3.2.1** 地脚螺栓的紧固及施工应符合现行国家标准《机械设备安装工程施工及验收通用规范》GB 50231 的有关规定。

**3.2.2** 使用胀锚螺栓时，钻孔、基础强度等施工要求应符合现行国家标准《机械设备安装工程施工及验收通用规范》GB 50231 的有关规定。

**3.2.3** 找正调平设备用的垫铁应符合现行国家标准《机械设备安装工程施工及验收通用规范》GB 50231 的有关规定，并应符合设备相关技术文件的要求。

**3.2.4** 采用斜垫铁或平垫铁找正调平时，应符合下列规定：

**1** 每个地脚螺栓两旁应至少各有一组垫铁，垫铁组应能放稳且不影响灌浆，宜靠近地脚螺栓。

**2** 每组垫铁不宜超过三块，斜垫铁应放在上面，其余垫铁应由厚到薄从下到上依次安装。

**3** 承受主要负荷且设备运行时产生较强振动的垫铁组，宜使用平垫铁。使用斜垫铁时，两块斜垫铁的搭接尺寸应超过垫铁长度的 2/3。

**4** 设备调平后，垫铁应露出设备底座外缘，平垫铁宜露出 10mm～30mm，斜垫铁宜露出 25mm～50mm，垫铁组伸入设备底面的长度应超过设备地脚螺栓的中心。

**5** 设备找平后，斜垫铁及平垫铁应成对相互焊接牢固。安装在金属结构上的设备调平后，应用定位焊将垫铁与金属结构焊牢。

**6** 相邻两垫铁组的距离宜为 500mm～1000mm。

**3.2.5** 采用螺栓调整垫铁调平时应符合下列规定：

**1** 螺纹部分和调整块滑动面上应涂以耐水性较好的润滑脂。

**2** 调平应采用升高升降块的方法，当需要降低升降块时，应在降低后重新再升高调整；调平后，调整块应留有调整的余量。

**3** 垫铁座应用混凝土灌牢，但混凝土不得灌入其活动部分。

**3.2.6** 预留地脚螺栓孔或设备底座与基础之间的灌浆及施工要求，应符合现行国家标准《机械设备安装工程施工及验收通用规范》GB 50231 的有关规定。

**3.2.7** 施工过程中，二次灌浆及其他隐蔽工程，在隐蔽前应进行验收，并应形成验收文件。

## 3.3 设备开箱验收与保管

**3.3.1** 设备安装前应根据装箱单，由供需双方共同开箱检查，并应形成开箱检验记录并签字确认，同时应符合下列规定：

**1** 应按台(份)清点箱号、箱数；

**2** 开箱后应检验零部件的数量、规格、表面质量、随机文件、备件、专用工具等有无缺损；

**3** 应做好开箱后的交接手续。

**3.3.2** 设备、零部件、专用工具、随机文件、开箱验收文件等应妥善保管，不得有变形、损坏、锈蚀、错乱或丢失的现象。

## 3.4 安装现场的安全卫生

**3.4.1** 安装前，应对安装人员进行安全与卫生教育，并应监督管理安装全过程。

**3.4.2** 安装现场应设置符合规定的灭火器材和安全防护设施，安全通道应畅通，不应堆放杂物。

**3.4.3** 安装过程中危险品、化学品的使用应做到专人使用、专人管理，使用场所周围应采取防护措施，且夜间不应存放在安装现场。

**3.4.4** 在设备安装前，地面或楼板上预留的设备基坑、安装孔、吊装或搬运设备的墙洞周围应设置临时防护栏，并应有警告标志。

**3.4.5** 设备安装前的清理应符合现行国家标准《机械设备安装工程施工及验收通用规范》GB 50231 的有关规定。

## 3.5 特种设备及工艺管道

**3.5.1** 承压设备、安全装置及监测仪表的安装应符合现行行业标准《固定式压力容器安全技术监察规程》TSG R0004、《特种设备制造、安装、改造、维修许可鉴定评审细则》TSG Z0005 的规定。

**3.5.2** 起重设备的安装和验收应符合现行国家标准《起重设备安装工程施工及验收规范》GB 50278 的有关规定。

**3.5.3** 风机、泵的安装和验收应符合现行国家标准《风机、压缩机、泵安装工程施工及验收规范》GB 50275 的有关规定。

**3.5.4** 现场施工的金属工艺管道的安装和验收应符合现行国家标准《工业金属管道工程施工规范》GB 50235 和《工业设备及管道绝热工程施工质量验收规范》GB 50185 的有关规定。

**3.5.5** 现场组装焊接的检验应符合现行国家标准《现场设备、工业管道焊接工程施工及验收规范》GB 50236 的有关规定。

**3.5.6** 设备及管道保温宜按现行国家标准《设备及管道绝热技术通则》GB/T 4272 的有关规定执行。

**3.5.7** 给水管道和排水管道的安装应符合下列规定：

**1** 室内给水管道宜采用明管沿内墙架空敷设，并应采取防结露措施；沿外墙架空敷设时，应采取防冻措施。

**2** 给水管不宜穿越伸缩缝、沉降缝、变形缝、设备基础、结构基础等部位，必须穿越时，应采取防护措施。

**3** 排放有腐蚀性的废水时，地沟应采取防腐措施，并应设置通气管接至室外。

**4** 工艺冷却水宜采用管道排放并回收重复利用，有腐蚀性的废水应采用耐腐蚀管材。

**5** 室内排水管与室外排水管的连接处应设水封装置，水封高度应大于 250mm。

# 4 筒子纱和经轴染色主要设备工程安装

## 4.1 松式(紧式)络筒机

**4.1.1** 松式(紧式)络筒机的安装允许偏差及检验方法应符合表4.1.1的规定。

**表 4.1.1 松式(紧式)络筒机的安装允许偏差及检验方法**

<table>
<tr><th>序号</th><th>部分</th><th>项 目</th><th>允许偏差</th><th>检验方法</th></tr>
<tr><td>1</td><td rowspan="3">机架</td><td>车面横向水平度</td><td>0.15/1000</td><td rowspan="2">用水平仪和平尺检测</td></tr>
<tr><td>2</td><td>车面纵向水平度</td><td>0.15/1000</td></tr>
<tr><td>3</td><td>车面全长累积水平度</td><td>1.5mm</td><td>采用波浪式校平法计算</td></tr>
<tr><td>4</td><td rowspan="3">槽筒</td><td>槽筒轴横向水平度</td><td>0.20mm</td><td>用水平仪和专用工具检查机宽方向的两个槽筒轴</td></tr>
<tr><td>5</td><td>槽筒径向圆跳动</td><td>0.50mm</td><td>用百分表检查两端外圆</td></tr>
<tr><td>6</td><td>摇臂架横向偏移</td><td>+1.2mm<br>0</td><td>用塞尺检测</td></tr>
<tr><td>7</td><td rowspan="3">吸吹装置</td><td>吸吹导轨水平度</td><td>0.08/1000</td><td rowspan="3">用水平仪和平尺检测</td></tr>
<tr><td>8</td><td>吸吹装置机架横向水平度</td><td>0.03/1000</td></tr>
<tr><td>9</td><td>吸吹装置机架纵向水平度</td><td>0.08/1000</td></tr>
<tr><td>10</td><td>卡疵装置</td><td>清纱装置隔距</td><td>+0.05mm<br>0</td><td>用塞尺检测</td></tr>
<tr><td>11</td><td>自停装置</td><td>断纱传感器与纱线间距</td><td>0.10mm～0.30mm</td><td>用塞尺检测</td></tr>
</table>

**4.1.2** 筒子架供纱插杆应平整无歪斜，纱盘不得晃动。

**4.1.3** 卷绕装置摇臂架起落应灵活，按下手柄后应自动落下。

**4.1.4** 采用导纱辊式卷绕装置时，导纱小轮与导纱辊应充分接触；采用槽筒式卷绕装置时，筒管与槽筒的母线应平行接触。

**4.1.5** 张力片、张力重锤加压质量应一致，张力盘转动应灵活，张力拉杆不得弯曲。

## 4.2 松式整经机

**4.2.1** 松式整经机的安装允许偏差及检验方法应符合表 4.2.1 的规定。

**表 4.2.1 松式整经机的安装允许偏差及检验方法**

| 序号 | 部分 | 项 目 | 允许偏差 | 检验方法 |
|---|---|---|---|---|
| 1 | 纱架 | 车面横向水平度 | 0.08/1000 | 用水平仪和平尺检测 |
| 2 | | 车面纵向水平度 | 0.08/1000 | |
| 3 | 机头 | 压辊水平度 | 0.08/1000 | 用水平仪和标准轴检测 |
| 4 | | 压辊径向圆跳动 | 0.50mm | 用百分表检查两端外圆 |
| 5 | | 压辊轴横向偏移 | +0.40mm<br>0 | 将压力辊推向一端，用塞尺检测轴承与紧圈间的间隙 |
| 6 | | 压辊轴与轴承之间的间隙 | +0.50mm<br>0 | 用钢丝或塞尺检测 |
| 7 | | 导纱辊水平度 | 0.10/1000 | 用水平仪和标准轴检测 |
| 8 | | 导纱辊径向圆跳动 | 0.10mm | 用百分表检查两端外圆 |
| 9 | | 导纱辊平行度 | 0.80mm | 用游标卡尺检测导纱辊两端 |
| 10 | | 经轴臂两侧与滚筒轴间隙 | +1mm<br>0 | 用专用工具检测 |
| 11 | | 经轴径向圆跳动 | 0.50mm | 用百分表检查两端外圆 |

**4.2.2** 纱架车脚与地面接触应严密。用 0.2mm 测微片插入纱架车脚与地面之间，能够插入的深度不得超过 10mm，测微片的活

动宽度不应超过25mm。

**4.2.3** 纱架的夹纱器和断经自停装置应灵敏可靠。

**4.2.4** 车头压辊表面应平整、光滑。

**4.2.5** 车头导纱辊回转应灵活，表面应光滑。

**4.2.6** 伸缩筘的筘齿应平直、均匀、一致。

**4.2.7** 安全防护装置、急停开关等各保护点功能应调整到位、反应可靠。

## 4.3 蒸 纱 机

**4.3.1** 蒸纱机的安装允许偏差及检验方法应符合表4.3.1的规定。

**表4.3.1 蒸纱机的安装允许偏差及检验方法**

| 序号 | 部分 | 项 目 | 允许偏差 | 检验方法 |
|---|---|---|---|---|
| 1 | 主缸 | 工作门和地面之间的垂直度 | 0.20/1000 | 线锤法，用钢板尺检测 |
| 2 | | 工作门水平度 | 0.50/1000 | 用水平仪和平尺检测 |
| 3 | | 工作门紧闭后与缸身法兰间隙 | +3mm<br>0 | 用塞尺或游标卡尺检测 |

**4.3.2** 安装有自动进出主缸的输送车时，主缸周围1m的地面平台应划为安全范围。

**4.3.3** 真空泵操作应灵活，不得有阻滞、卡阻现象。

**4.3.4** 排压管道的排压口应连接到室外，宜安装消声器。

**4.3.5** 排压管道与其他设备共用排放通道时，应安装单向阀。

**4.3.6** 蒸汽管的连接与冷凝水的回收设备的安装应符合现行国家标准《蒸汽供热系统凝结水回收及蒸汽疏水阀技术管理要求》GB/T 12712的规定。

**4.3.7** 安全阀排放管的排放方向不应指向易对人产生伤害的方向。

## 4.4 染 色 机

**4.4.1** 染色机的安装基础平面度不应大于5mm，可用水平仪和平尺检测。

**4.4.2** 染色机工作平台的安装应符合下列规定：

**1** 钢平台的安装应符合现行国家标准《固定式钢梯及平台安全要求 第3部分：工业防护栏杆及钢平台》GB 4053.3 的规定；

**2** 水泥平台应有防滑措施；

**3** 工作平台防护栏杆的高度不应小于1m；

**4** 工作平台应设置放水口。

**4.4.3** 染色机主缸的安装应符合下列规定：

**1** 缸身水平度不应大于0.20/1000，可用水平仪和平尺检测；

**2** 主缸身轴线与吊机主轴线重合度不应大于5mm，可用线锤法和钢尺检测；

**3** 主缸身裙边应采取防止水漏至平台下面的措施。

**4.4.4** 染色机预备缸的安装应符合下列规定：

**1** 缸身水平度不应大于0.50/1000，可用水平仪和平尺检测；

**2** 连接蒸汽源到换热装置的管道宜用隔热层包紧。

**4.4.5** 循环管道系统的安装应符合下列规定：

**1** 循环泵的叶轮转动应均匀、无摩擦和卡阻现象；

**2** 循环管道不得有明显振动；

**3** 蒸汽管的连接与冷凝水的回收设备的安装应符合现行国家标准《蒸汽供热系统凝结水回收及蒸汽疏水阀技术管理要求》GB/T 12712 的规定。

**4.4.6** 温度高于98℃的高温高压染色机，其温度、压力安全连锁控制装置及超压保护装置应可靠、有效。

**4.4.7** 主泵、各输送泵电机与泵轴的同轴度不应大于$\phi$0.1mm，可用刀口尺和塞尺检测。

**4.4.8** 安全阀排放管的排放方向不应指向可能对人产生伤害的

方向。

**4.4.9** 球阀、蝶阀和活塞阀宜直立安装，且应安装在有利于操作和维修的地方。

**4.4.10** 蒸汽疏水阀应安装在水平管道上，且宜为蒸汽管道的末端最低点。

## 4.5 脱 水 机

**4.5.1** 离心脱水机的安装应符合下列规定：

**1** 离心脱水桶的地基混凝土厚度应大于300mm，可用钢卷尺检测；

**2** 安装基础平面度不应大于5mm，可用水平仪和平尺检测；

**3** 脱水桶、立柱等旋转零部件应固定牢固；

**4** 固定底盘架等组件应连接牢固。

**4.5.2** 真空脱水机的安装应符合下列规定：

**1** 真空脱水机的安装基础平面度不应大于5mm，可用水平仪和平尺检测；

**2** 真空罐、气水分离器、纱架脱水盘的安装水平度不应大于1.0/1000，可用水平仪和平尺检测；

**3** 水环真空泵的吸入管路和吐出管路应各自配备支架，管路重量不得由水泵承接；

**4** 水环真空泵电动机轴与泵轴的同轴度不应大于$\phi$0.1mm，可用刀口尺和塞尺检测；

**5** 气水分离器与泵连接的管路长度及转弯角度应符合使用说明书的规定；

**6** 气水分离器进水孔与外部供水管应保持通畅。

## 4.6 射频烘干机

**4.6.1** 射频烘干机的安装允许偏差及检验方法应符合表4.6.1的规定。

**表 4.6.1 射频烘干机的安装允许偏差及检验方法**

| 序号 | 部分 | 项　　目 | 允许偏差 | 检 验 方 法 |
| --- | --- | --- | --- | --- |
| 1 | 箱体 | 箱体中心线与机台中心线 | ±0.50mm | 线锤法,用钢板尺检测 |
| 2 | | 箱体水平度 | 0.10/1000 | 用水平仪和平尺检测 |
| 3 | | 支架水平度 | | |
| 4 | 传动 | 主动轴水平度 | 0.20/1000 | 用水平仪和平尺检测 |
| 5 | | 被动轴水平度 | | |
| 6 | | 主动轴与被动轴平行度 | 0.50/1000 | 线锤法,用钢板尺检测 |

**4.6.2** 高频发生器顶部离天花板距离不应小于 1m,机身各侧距离墙壁不应小于 1m。

**4.6.3** 安装三极管时应戴手套,不得用手直接触及三极管的表面。三极管与外界有明显温差时,应将三极管自然放置一段时间后再安装。

**4.6.4** 网带应张紧适度,网带上不得有任何带磁性的金属扣环。

**4.6.5** 机器进口处防辐射门应密封可靠、无变形,使用前应进行防辐射安全检测。

**4.6.6** 机器的抽湿排汽口应垂直安装。

# 5 牛仔布纱线染色主要设备工程安装

## 5.1 球 经 机

**5.1.1** 球经机的安装允许偏差及检验方法应符合表5.1.1的规定。

**表5.1.1 球经机的安装允许偏差及检验方法**

| 序号 | 部分 | 项　目 | 允许偏差 | 检 验 方 法 |
|---|---|---|---|---|
| 1 | 机架 | 上平面横跨水平度 | 0.20/1000 | 用水平仪和平尺检测 |
| | | 上平面纵向水平度 | 0.50/1000 | |
| 2 | 卷绕辊 | 辊体水平度 | 0.10/1000 | 用水平仪检测 |
| | | 卷绕辊之间平行度 | 0.50mm | 用定规或钢卷尺检测 |
| 3 | 制动器 | 刹车轮毂与制动轮外圆同轴度 | 0.25mm | 用塞尺检测 |

**5.1.2** 摆动机构运转动作应灵活、无卡滞现象。

**5.1.3** 同步带及链条运转应平稳。

**5.1.4** 纱架断纱自停装置应灵敏可靠。

**5.1.5** 束纱回绕架的安装位置应符合导纱和束纱成形的要求。

## 5.2 束状染色联合机

**5.2.1** 进纱装置的安装允许偏差及检验方法应符合表5.2.1的规定。

**表5.2.1 进纱装置的安装允许偏差及检验方法**

| 序号 | 部分 | 项　目 | 允许偏差 | 检 验 方 法 |
|---|---|---|---|---|
| 1 | 机架 | 中心线对机台中心线横向偏移 | ±0.50mm | 线锤法，用钢板尺检测 |
| 2 | | 中心线对机台十字线平行度 | 1mm | |
| 3 | | 横跨水平度 | 0.50/1000 | 用水平仪和平尺检测 |

**续表 5.2.1**

| 序号 | 部分 | 项目 | 允许偏差 | 检验方法 |
|---|---|---|---|---|
| 4 | 纱球架 | 中心线对机台中心线横向偏移 | ±0.50mm | 线锤法,用钢板尺检测 |
| 5 | | 立柱侧面中心线对机台十字线平行度 | 1mm | |
| 6 | | 横跨水平度 | 0.30/1000 | 用水平仪和平尺检测 |
| 7 | 导纱辊 | 对机台十字线平行度 | 1mm | 线锤法,用钢板尺检测 |
| 8 | | 辊面水平度 | 0.30/1000 | 用水平仪和平尺检测 |

**5.2.2** 染色装置的安装应符合下列规定：

**1** 染色装置的安装允许偏差及检验方法应符合表5.2.2的规定；

**表 5.2.2 染色装置的安装允许偏差及检验方法**

| 序号 | 部分 | 项目 | 允许偏差 | 检验方法 |
|---|---|---|---|---|
| 1 | 氧化架 | 立柱中心线对机台中心线横向偏移 | ±0.50mm | 线锤法,用钢板尺检测 |
| 2 | | 立柱侧面对机台十字线平行度 | 1mm | |
| 3 | | 各导纱辊横跨水平度 | 0.15/1000 | 用水平仪和平尺检测 |
| 4 | 轧车 | 底座对机台中心线横向偏移 | ±0.50mm | 线锤法,用钢板尺检测 |
| 5 | | 下轧辊横跨水平度 | 0.10/1000 | 用水平仪和平尺检测 |
| 6 | | 下轧辊对机台十字线平行度 | 1mm | 线锤法,用钢板尺检测 |
| 7 | | 上、下轧辊平行度 | 0.10/1000 | 用专用工具检测 |
| 8 | 煮纱槽、染槽及洗槽 | 槽体对机台十字线平行度 | 1mm | 线锤法,用钢板尺检测 |
| 9 | | 导纱辊横跨水平度 | 0.20/1000 | 用水平仪和平尺检测 |
| 10 | | 导纱辊平行度 | 0.20/1000 | 用专用工具检测 |
| 11 | | 导纱辊对机台十字线平行度 | 1mm | 线锤法,用钢板尺检测 |
| 12 | 传动 | 支承底板水平度 | 0.10/1000 | 用水平仪和平尺检测 |

2 蒸汽管路和压缩空气管路的密封应良好；

3 碱液管路应经 0.6MPa 水压试验，持压 15min，不得渗漏；

4 传动系统应转动灵活、无卡滞现象；

5 防护栏应安装牢固；

6 应依次安装煮纱槽、染槽、轧车立柱、氧化架。

**5.2.3** 烘筒烘燥机的安装应符合下列规定：

1 烘筒烘燥机的安装允许偏差及检验方法应符合表 5.2.3 的规定；

**表 5.2.3 烘筒烘燥机的安装允许偏差及检验方法**

| 序号 | 部分 | 项目 | 允许偏差 | 检验方法 |
|---|---|---|---|---|
| 1 | 立柱 | 立柱中心线对机台十字线平行度 | ±0.50mm | 线锤法，用钢板尺检测 |
| 2 | | 横跨水平度 | 0.50/1000 | 用水平仪和平尺检测 |
| 3 | | 立柱垂直度 | 0.30/1000 | 用水平仪检测 |
| 4 | | 左右立柱间侧面平齐度 | 0.30mm | 用平尺和千分尺检测 |
| 5 | | 左右立柱同侧面与机台中心线的平行度 | 0.50mm | 线锤法，用钢板尺检测 |
| 6 | 烘筒 | 辊体表面水平度 | 0.20/1000 | 用水平仪和平尺检测 |
| 7 | 导纱辊 | 辊体表面水平度 | 0.20/1000 | 用水平仪和平尺检测 |
| 8 | | 对机台十字线平行度 | 1mm | 线锤法，用钢板尺检测 |

2 烘筒应无轴向窜动；

3 烘筒进汽头不得有剧烈抖动；

4 烘筒内壁与虹吸管不应有摩擦。

**5.2.4** 落纱装置的安装应符合下列规定：

1 落纱装置的安装允许偏差及检验方法应符合表 5.2.4 的规定；

表 5.2.4 落纱装置的安装允许偏差及检验方法

<table>
<tr><th>序号</th><th>部分</th><th>项　目</th><th>允许偏差</th><th>检 验 方 法</th></tr>
<tr><td>1</td><td rowspan="3">机架</td><td>机架中心线对机台十字线横向偏移</td><td>±0.50mm</td><td rowspan="2">线锤法，用钢板尺检测</td></tr>
<tr><td>2</td><td>机架垂直度</td><td>1mm</td></tr>
<tr><td>3</td><td>横跨水平度</td><td>0.50/1000</td><td>用水平仪和平尺检测</td></tr>
<tr><td>4</td><td>张力控制</td><td>压纱辊表面水平度</td><td>0.20/1000</td><td>用水平仪和平尺检测</td></tr>
</table>

**2** 摆纱杆应转动灵活；

**3** 行星机构应转动灵活、无卡滞现象。

**5.2.5** 染料供应装置的安装应符合下列规定：

**1** 染料供应装置的安装允许偏差及检验方法应符合表5.2.5的规定；

表 5.2.5 染料供应装置的安装允许偏差及检验方法

<table>
<tr><th>序号</th><th>部分</th><th>项　目</th><th>允许偏差</th><th>检 验 方 法</th></tr>
<tr><td>1</td><td rowspan="2">桶体</td><td>桶体母线对地平垂直度</td><td>1mm</td><td>线锤法，用钢板尺检测</td></tr>
<tr><td>2</td><td>桶体对机台中心线横向偏移</td><td>±0.50mm</td><td>线锤法，沿圆周均分四点，用钢板尺检测</td></tr>
<tr><td>3</td><td>搅拌器</td><td>搅拌器与内置加热管和桶壁间隙</td><td>12mm±2.5mm</td><td>沿圆周均分四点，用钢板尺检测</td></tr>
</table>

**2** 染色剂管路、蒸汽管路、计量装置管路等应密封良好、无渗漏现象；

**3** 计量泵、供料泵运转应无卡滞及异常声响。

## 5.3 分纱整经机

**5.3.1** 分纱整经机的安装允许偏差及检验方法应符合表 5.3.1 的规定。

**表 5.3.1　分纱整经机的安装允许偏差及检验方法**

| 序号 | 部分 | 项　　目 | 允许偏差 | 检 验 方 法 |
| --- | --- | --- | --- | --- |
| 1 | 卷绕车头 | 墙板基准面对机台中心线纵向偏移 | ±0.50mm | 线锤法，用钢板尺检测 |
| 2 | | 墙板垂直度 | 0.20/1000 | 线锤法，用钢板尺检测，且不允许同向倾斜 |
| 3 | | 横跨水平度 | 0.20/1000 | 用水平仪和平尺检测 |
| 4 | | 气囊刹车与刹车盘之间同轴度 | 0.25mm | 用塞尺检测 |
| 5 | | 接近开关与检测盘间距 | +1.5mm<br>0 | 用直尺检测 |
| 6 | | 气囊刹车与检测盘之间同轴度 | 0.25mm | 用塞尺检测 |
| 7 | | 导纱辊水平度 | 0.20/1000 | 用水平仪和平尺检测 |

**5.3.2**　拨纱装置、纱线回绕摆动架、张力装置、储纱架的动作均应灵活、无卡滞现象。

**5.3.3**　磁粉制动器在使用前应进行驯化运转。

**5.3.4**　压缩空气管路等应密封良好、无泄漏现象。

## 5.4　染浆联合机

**5.4.1**　车头墙板机架、移动箱体的安装应符合下列规定：

**1**　车头墙板机架、移动箱体的安装允许偏差及检验方法应符合表 5.4.1 的规定；

**2**　车头墙板机架中的测长辊、压纱辊、拖引辊、平纱辊应转动灵活；

**3**　车头墙板机架中的张力辊左右气缸、织轴加压气缸、上落轴左右气缸的动作应灵活、同步；

**4**　织轴伸缩筘调节动作应灵活、轻便。

**5.4.2**　张力架、上蜡装置、烘房的安装允许偏差及检验方法应符合表 5.4.2 的规定。

表 5.4.1　车头墙板机架、移动箱体的安装允许偏差及检验方法

| 序号 | 部分 | 项　目 | 允许偏差 | 检验方法 |
|---|---|---|---|---|
| 1 | 车头墙板机架 | 墙板基准面对机台中心线横向偏移 | ±0.50mm | 线锤法，用钢板尺检测 |
| 2 | | 墙板横跨水平度 | 0.10/1000 | 用水平仪和平尺检测 |
| 3 | | 墙板基准面对机台十字线平行度 | 1mm | 线锤法，用钢板尺检测 |
| 4 | | 墙板纵向垂直度 | 0.20/1000 | 用水平仪和平尺检测，且不允许同向倾斜 |
| 5 | 移动箱体 | 移动车头箱横跨水平度 | 0.20/1000 | 用水平仪和平尺检测 |

表 5.4.2　张力架、上蜡装置、烘房的安装允许偏差及检验方法

| 序号 | 部分 | 项　目 | 允许偏差 | 检验方法 |
|---|---|---|---|---|
| 1 | 张力架 | 机架对机台中心线横向偏移 | ±0.50mm | 线锤法，用钢板尺检测 |
| 2 | | 机架垂直度 | 0.40/1000 | 线锤法，用钢板尺检测，且不允许同向倾斜 |
| 3 | | 导纱辊对机台十字线平行度 | 1mm | 线锤法，用钢板尺检测 |
| 4 | | 张力导纱辊及机架导纱辊水平度 | 0.10/1000 | 用水平仪和平尺检测 |
| 5 | 上蜡装置 | 上蜡辊对张力机架导辊的平行度 | 1mm | 用专用卡板检测 |
| 6 | | 上蜡辊水平度 | | 用水平仪和平尺检测 |
| 7 | 烘房 | 立柱对机台中心线横向偏移 | ±0.50mm | 线锤法，用钢板尺检测 |
| 8 | | 立柱垂直度 | 0.40/1000 | 用水平仪和平尺检测，且不允许同向倾斜 |
| 9 | | 立柱横跨水平度、立柱纵向水平度 | 0.20/1000 | 用水平仪和平尺检测 |
| 10 | | 烘筒对机台十字线平行度 | 1mm | 线锤法，用钢板尺检测 |
| 11 | | 导纱辊横跨水平度 | 0.10/1000 | 用水平仪和平尺检测 |
| 12 | | 导纱辊与机台十字线平行度 | 1mm | 线锤法，用钢板尺检测 |
| 13 | | 烘筒链轮平齐度 | +1mm<br>0 | |
| 14 | | 烘筒水平度 | 0.10/1000 | 用水平仪和标准轴检测 |

**5.4.3** 浆槽、湿分绞、储纱架及氧化架的安装应符合下列规定：

**1** 浆槽、储纱架及氧化架的安装允许偏差及检验方法应符合表 5.4.3 的规定；

**表 5.4.3 浆槽、储纱架及氧化架的安装允许偏差及检验方法**

| 序号 | 部分 | 项目 | 允许偏差 | 检验方法 |
|---|---|---|---|---|
| 1 | 浆槽 | 墙板基准面对机台中心线横向偏移 | ±0.50mm | 线锤法，用钢板尺检测 |
| 2 | | 墙板横跨水平度 | 0.10/1000 | 用水平仪和平尺检测 |
| 3 | | 墙板纵向水平度 | | |
| 4 | | 浸没辊、导纱辊水平度 | | |
| 5 | | 浸没辊与上浆辊平行度 | 0.20/1000 | 用专用工具检测 |
| 6 | | 压浆辊与上浆辊平行度 | | |
| 7 | 储纱架及氧化架 | 机架对机台中心线横向偏移 | ±0.50mm | 线锤法，用钢板尺检测 |
| 8 | | 立柱垂直度 | 0.20/1000 | 用水平仪和平尺检测 |
| 9 | | 导纱辊横跨水平度 | 0.10/1000 | |
| 10 | | 导纱辊对机台十字线平行度 | 1mm | 线锤法，用钢板尺检测 |

**2** 浆槽压浆辊左右两侧气缸的动作应灵活、同步；

**3** 浆槽浸没辊的升降应灵活、无卡滞现象；

**4** 湿分绞棒传动装置的动作应灵活、无卡滞现象；

**5** 松紧架两端动作应灵活一致。

**5.4.4** 轧车、染槽、经轴架的安装允许偏差及检验方法应符合表 5.4.4 的规定。

**表 5.4.4 轧车、染槽、经轴架的安装允许偏差及检验方法**

| 序号 | 部分 | 项目 | 允许偏差 | 检验方法 |
|---|---|---|---|---|
| 1 | 轧车 | 底座对机台中心线横向偏移 | ±0.50mm | 线锤法，用钢板尺检测 |
| 2 | | 下轧辊横跨水平度 | 0.10/1000 | 用水平仪和平尺检测 |
| 3 | | 下轧辊对机台十字线平行度 | 1mm | 线锤法，用钢板尺检测 |
| 4 | | 上、下轧辊平行度 | 0.10/1000 | 用专用工具检测 |

续表 5.4.4

| 序号 | 部分 | 项　　目 | 允许偏差 | 检 验 方 法 |
|---|---|---|---|---|
| 5 | 染槽 | 对机台十字线、中心线平行度 | 1mm | 线锤法,用钢板尺检测 |
| 6 | | 导纱辊横跨水平度 | 0.20/1000 | 用水平仪和平尺检测 |
| 7 | | 导纱辊平行度 | | 用卡尺检测 |
| 8 | | 导纱辊对机台十字线平行度 | 1mm | 线锤法,用钢板尺检测 |
| 9 | 经轴架 | 轴架对机台中心线横向偏移 | ±0.50mm | 线锤法,用钢板尺检测 |
| 10 | | 轴架横跨水平度 | 0.10/1000 | 用水平仪和平尺检测 |
| 11 | | 轴架对机台十字线平行度 | 1mm | 线锤法,用钢板尺检测 |

**5.4.5** 染浆联合机边轴传动部分的安装应符合下列规定:

**1** 与联轴节相连的两端轴头中心线在水平方向的平齐度应为1mm,可用线锤法和钢板尺检测;

**2** 边轴各无级变速器的调速应灵敏可靠。

**5.4.6** 蒸汽管路、压缩空气管路、碱液管路的密封应良好。

**5.4.7** 循环浆泵密封装置应可靠、无泄漏现象。

# 6 织造主要设备工程安装

## 6.1 分批整经机

**6.1.1** 分批整经机的安装与质量验收除应符合现行国家标准《棉纺织设备工程安装与质量验收规范》GB/T 50664 的有关规定外，还应符合下列规定：

**1** 导纱辊、压辊的水平度不应大于 0.10/1000，可用水平仪和平尺检测；

**2** 导纱辊与经轴中心的平行度不应大于 1mm，可在导纱辊两端面中心位置用吊线检测；

**3** 压辊与经轴的平行度不应大于 0.05mm，可在压辊靠近标准轴套后用塞尺在左、中、右三点检测；

**4** 经轴加压气缸活塞杆的升降应灵活，上落轴的动作应可靠；

**5** 主轴脱开、拍合的动作应准确、可靠。

**6.1.2** 筒子架同一层上的左右锭杆、左右张力器、左右断经自停装置应分别在同一水平面上。

**6.1.3** 筒子架夹纱器、断经自停装置应灵敏、可靠。

## 6.2 分条整经机

**6.2.1** 分条整经机的安装允许偏差及检验方法应符合表 6.2.1 的规定。

**表 6.2.1 分条整经机的安装允许偏差及检验方法**

| 序号 | 部分 | 项　目 | 允许偏差 | 检验方法 |
|---|---|---|---|---|
| 1 | 倒轴车头墙板 | 墙板基准面对机台中心线横向偏移 | ±0.50mm | 线锤法，用钢板尺检测 |

续表 6.2.1

| 序号 | 部分 | 项　　目 | 允许偏差 | 检 验 方 法 |
|---|---|---|---|---|
| 2 | 倒轴车头墙板 | 墙板横跨水平度 | 0.10/1000 | 用水平仪和平尺检测 |
| 3 | | 墙板基准面对机台十字线的平行度 | 1mm | 线锤法,用钢板尺检测 |
| 4 | | 墙板纵向垂直度 | 0.20/1000 | 用水平仪检测,且不得同向倾斜 |
| 5 | | 导杆对机台十字线的平行度 | 1mm | 线锤法,用钢板尺检测 |
| 6 | | 导纱辊水平度 | 0.10/1000 | 用水平仪和平尺检测 |
| 7 | | 导纱辊对机台十字线的平行度 | 1mm | 线锤法,用钢板尺检测 |
| 8 | 移动箱体 | 导杆横跨水平度 | 0.10/1000 | 用水平仪和平尺检测 |
| 9 | | 移动车头箱横向水平度 | 0.20/1000 | |
| 10 | | 两导杆中心线的横向偏差 | +0.10mm<br>0 | 用专用卡板检测 |
| 11 | 卷绕车头机架 | 墙板横跨水平度 | 0.10/1000 | 用水平仪和平尺检测 |
| 12 | | 上横梁长导轨水平度 | 0.05/1000 | |
| 13 | | 两长导轨中心线的横向偏差 | +0.10mm<br>0 | 用专用卡板检测 |
| 14 | 地轨 | 地轨横跨、纵跨水平度 | 0.10/1000 | 用水平仪和平尺检测 |
| 15 | | 两短导轨中心线的横向偏移 | ±0.5mm | 用专用卡板检测 |
| 16 | | 两短导轨横跨水平度 | 0.05mm | 用水平仪和平尺检测 |
| 17 | | 短导纱辊水平度 | 0.05mm | |
| 18 | 大滚筒 | 大滚筒对机台十字线的平行度 | 1mm | 线锤法,用钢板尺检测 |
| 19 | | 大滚筒水平度 | 0.10/1000 | 用水平仪和平尺检测 |
| 20 | | 短导纱辊与大滚筒的平行度 | 0.05mm | 用塞尺检测 |
| 21 | 筒子架 | 对机台中心线横向偏移 | ±0.50mm | 线锤法,用钢板尺检测 |

**6.2.2** 分条整经机的大滚筒在500m/min线速度工况下，制动惯性卷绕长度不应大于3m。

## 6.3 自动穿经机

**6.3.1** 自动穿经机的安装允许偏差及检验方法应符合表6.3.1的规定。

**表6.3.1 自动穿经机的安装允许偏差及检验方法**

| 序号 | 部分 | 项　　目 | 允许偏差 | 检 验 方 法 |
|---|---|---|---|---|
| 1 | 机架 | 基准地面与机架高度 | ±15mm | 用钢板尺检测 |
| 2 | | 机架水平度 | 0.20/1000 | 用水平仪和平尺检测 |
| 3 | | 穿综轨道平行度 | ±1mm | 拉线法，用钢板尺检测 |
| 4 | 分纱 | 分纱架墙板垂直度 | 0.20/1000 | 用水平仪检测 |
| 5 | | 穿纱导向装置水平度 | | 用水平仪和平尺检测 |

**6.3.2** 纱线模组的安装应符合下列规定：

**1** 穿综轨道应安装牢固；

**2** 剑钩、剑带应粘结牢固，不得开裂；

**3** 穿综车与分纱模组连接应沿规定线路，不得错位。

**6.3.3** 停经片编码器参数应一致。

**6.3.4** 综丝针与综框连接器应对齐一致。

**6.3.5** 钢筘滑车与轨道连接应一致，不得错位。

**6.3.6** 主控模组中，各模组电机、传感器、编码器、线路板应连接可靠，对应线缆的编号应正确。

**6.3.7** 与自动穿经机配套的分绞机的安装应符合下列规定：

**1** 机架水平度允许偏差应为0.20/1000，可用水平仪和平尺检测；

**2** 主控电脑接线编码应与线缆编号对应无误；

**3** 传纱钩、压纱器、储纱器位置应正确；

**4** 拨纱器、纱线的倾斜度和清晰度应调整到位；

5　压条压入纱线后，纱线张力应一致、无松弛现象。

## 6.4　浆　纱　机

**6.4.1**　浆纱机的安装与质量验收除应符合现行国家标准《棉纺织设备工程安装与质量验收规范》GB/T 50664 的有关规定外，还应符合下列规定：

1　压浆辊两端所加压力应一致，压印试验左右应无差异；

2　第二压浆辊压力随车速变化应呈线性加压、灵敏可靠；

3　浸没辊升降应灵活、无卡滞现象；

4　织轴加压气缸活塞杆升降应灵活，上落轴动作应可靠；

5　循环浆泵密封应可靠、无泄漏现象；

6　车头小墙板左右移动应灵活；

7　在无压缩空气状态时，压浆辊与上浆辊之间的间隙不应小于 40mm，可用钢板尺检测；

**6.4.2**　采用高架烘房时，浆纱机烘房的防护栏应安装牢固。

## 6.5　经浆联合机

**6.5.1**　分条整经单元的安装应符合本规范第 6.2 节的规定。

**6.5.2**　张力及上蜡装置、烘筒的安装允许偏差及检验方法应符合表 6.5.2 的规定。

**表 6.5.2　张力及上蜡装置、烘筒的安装允许偏差及检验方法**

| 序号 | 部分 | 项　目 | 允许偏差 | 检 验 方 法 |
|---|---|---|---|---|
| 1 | 张力及上蜡装置 | 机架对机台中心线横向偏移 | ±0.5mm | 线锤法，用钢板尺检测 |
| 2 | | 机架横跨水平度 | 0.20/1000 | 用水平仪和平尺检测，且不得同向倾斜 |
| 3 | | 上蜡辊、导纱辊水平度 | 0.10/1000 | 用水平仪和平尺检测 |
| 4 | | 张力导纱辊水平度 | 0.20/1000 | |
| 5 | | 导纱辊平行度 | 1mm | 线锤法，用钢板尺检测 |

**续表 6.5.2**

| 序号 | 部分 | 项目 | 允许偏差 | 检验方法 |
|---|---|---|---|---|
| 6 | 烘筒 | 机架对机台中心线横向偏移 | ±0.5mm | 线锤法，用钢板尺检测 |
| 7 | | 立柱垂直度 | 0.25/1000 | 用水平仪检测 |
| 8 | | 立柱横跨水平度、纵向水平度 | 0.20/200 | 用水平仪和平尺检测，且不得同向倾斜 |
| 9 | | 烘筒与机台十字线平行度 | 1mm | 线锤法，用钢板尺检测 |
| 10 | | 烘筒链轮平齐度 | 1mm | |
| 11 | | 导纱辊横跨水平度 | 0.10/1000 | 用水平仪和平尺检测 |
| 12 | | 烘筒水平度 | 0.10/1000 | 用水平仪和标准轴检测 |

**6.5.3** 浆槽、经轴架的安装应符合下列规定：

1 浆槽、经轴架的安装允许偏差及检验方法应符合表 6.5.3 的规定；

**表 6.5.3 浆槽、经轴架的安装允许偏差及检验方法**

| 序号 | 部分 | 项目 | 允许偏差 | 检验方法 |
|---|---|---|---|---|
| 1 | 浆槽 | 墙板基准面对机台中心线横向偏移 | ±0.5mm | 线锤法，用钢板尺检测 |
| 2 | | 墙板横跨水平度 | 0.10/1000 | 用水平仪和平尺检测 |
| 3 | | 墙板纵向水平度 | | |
| 4 | | 浸没辊水平度 | | |
| 5 | | 导纱辊水平度 | | |
| 6 | | 上浆辊与压浆辊的平行度 | 0.25/1000 | 用专用工具检测 |
| 7 | 经轴架 | 机器中心线横向偏移 | ±0.5mm | 线锤法，用钢板尺检测 |
| 8 | | 经轴架横跨水平度 | 0.10/1000 | 用水平仪和标准轴平尺检测 |
| 9 | | 经轴架对机台十字线平行度 | 1mm | 线锤法，用钢板尺检测 |

4 综丝眼与机架两侧墙板上平面的高度差不应大于 25mm，用钢板尺检测；

5 立柱上、下齿轮箱与立柱的连接应牢固、可靠。

## 6.7 卷布包布机

7.1 验布打卷机的安装应符合下列规定：

1 进布机架、卷布机架横向立柱对机台中心线同一方向上的横向偏移允许偏差应为±1.5mm,可用线锤法和钢板尺检测。

2 卷布辊、压布辊、导布辊的水平度允许偏差应为 0.50/000,可用水平仪和平尺检测。

3 进布自停装置与地面距离宜为 1.0m～1.5m,可用钢卷尺检测。

4 吸边器滚轮旋转应灵活,光电传感器的感应位置应与布幅宽度匹配。

5 布面张力传感器应工作可靠。

6 纠偏弯辊的调节应灵活、可靠。

6.7.2 打包机的安装与质量验收应符合现行国家标准《棉纺织设备工程安装与质量验收规范》GB/T 50664 的有关规定。

2 压浆辊两端所加压力应一致，压印试验

差异；

3 第二压浆辊压力应随车速变化呈线性加压；

4 浸没辊升降应灵活、无卡滞现象。

6.5.4 经浆联合机传动部分的安装应符合下列要求

1 边轴各无级变速器的调速应灵敏可靠；

2 浆槽边轴及引纱辊离合器啮合及脱开动作应

6.5.5 蒸汽管路、压缩空气管路、碱液管路应密封良

6.5.6 循环浆泵的供浆量应符合设计文件的要求。

6.5.7 循环浆泵的密封装置应可靠、无泄漏现象。

## 6.6 无梭织机

6.6.1 剑杆织机和喷气织机的安装与质量验收应符

标准《棉纺织设备工程安装与质量验收规范》GB/T 50

规定。

6.6.2 提花装置的安装应符合下列规定：

1 提花装置机架和龙头的安装允许偏差及检验方

表 6.6.2 的要求；

表 6.6.2 提花装置机架和龙头的安装允许偏差及检验方

| 序号 | 部分 | 项　目 | 允许偏差 | 检验方 |
|---|---|---|---|---|
| 1 | 机架 | 左右墙板水平度 | 0.10/1000 | 用水平仪和平 |
| 2 | | 摆轴水平度 | 0.05/1000 | |
| 3 | 龙头 | 框架水平度 | | 用水平仪和平 |
| 4 | | 与织机开口部位中心重合度 | 2mm | 线锤法，用钢 |

2 通丝中间导板两侧与导板支架之间的距离，以及中

后位置应符合产品使用说明书的规定；

通丝上部、中间导板、通丝底板三处中心点应位于

，可用拉线法检测；

# 7 电气设备及控制系统的要求

## 7.1 电气控制柜

**7.1.1** 电气控制柜的安装位置应符合有关技术文件的规定，电气控制柜应有良好的散热条件，且应采取防止污水渗入和倒灌的措施。在电气控制柜外侧和下方开孔处应设置密封装置。

**7.1.2** 电气控制柜通风孔外不应放置影响通风的物品。电气控制柜的通风孔正对墙壁时，间隙不应小于100mm。

**7.1.3** 电气控制柜的金属结构体上应有接地点，接地点附近应有接地标志。接地点应符合下列规定：

**1** 与接地点相连接的保护导线应采用铜导线。在使用非铜质导体的场合，导体单位长度电阻不应超过允许的铜导体单位长度电阻，且非铜质导体截面积不应小于$16mm^2$。

**2** 保护导线截面积应符合表7.1.3的规定。

**表7.1.3 保护导线截面积**

| 设备供电相线的截面积 $S(mm^2)$ | 外部保护导线的最小截面积 $S_P(mm^2)$ |
|---|---|
| $S\leqslant16$ | $S$ |
| $16<S\leqslant35$ | 16 |
| $S>35$ | $S/2$ |

**3** 接地用螺钉（螺栓）和垫圈应采用铜材或钢材镀锌制成。

**4** 对可能带电的金属零件，与主接地点之间的接地电阻应小于0.10Ω。

**5** 不应用输液、输汽（气）金属管道作为接地体或接地线。

**7.1.4** 电气控制柜主回路、控制回路与柜体之间的绝缘电阻不应小于1MΩ。用兆欧表测试时，对不能耐受兆欧表电压的元器件应短接或拆除。

**7.1.5** 弱电线、信号线应采用屏蔽线并与强电线分开走线，且间距不应小于100mm。

**7.1.6** 采用多股软导线应用冷压接头连接，压接点应牢固。

**7.1.7** 电气设备元器件应选3C认证产品。

**7.1.8** 海拔、温度、相对湿度、抗电磁干扰等环境条件应符合电气元器件使用说明书的规定。

## 7.2 电缆桥架和配管

**7.2.1** 电缆桥架安装应符合下列规定：

**1** 电缆桥架水平和垂直安装长度允许偏差应为±5mm/m，全长允许偏差应为±10mm，可用拉线、钢板尺检测。

**2** 电线、电缆敷设应排列整齐，布置动力线与信号线时应分槽或分区敷设，有抗干扰要求的线路，应采取抗干扰措施。

**3** 电缆桥架内的电缆总截面积应小于电缆桥架净横截面积的60%。

**4** 电缆桥架或汇线槽的弯曲处应垫绝缘衬垫保护电线电缆。

**5** 电缆桥架不应平行敷设于设备热力管道正上方；在其他位置与热力管道平行布置时，净距离宜大于1.0m；与热力管道交叉布置时，净距离宜大于0.5m。

**6** 电缆桥架的高度不应小于2.1m。

**7.2.2** 电缆在地沟内安装时应符合下列规定：

**1** 电缆支架最下层至沟底的距离宜为50mm～100mm；

**2** 当设计无要求时，电缆支架层间的距离不应小于120mm；

**3** 电缆沟内不得敷设输液、输气管道，并应避免与输液、输气管道交叉敷设；同时应采取防水浸入措施，并应有符合设计要求的排水坡度。

**7.2.3** 金属电缆支架、电缆导管应接地或接零可靠。

**7.2.4** 电缆敷设不应有绞拧、铠装压扁、护层断裂和表面严重划伤等缺陷,电缆线中途不应有接头。

**7.2.5** 配管穿过建筑物和设备基础时,应加钢套管。安装于潮湿场所和埋地钢套管,宜选用厚壁管或镀锌管。酸碱腐蚀场所宜选用耐腐蚀的硬质塑料管。

**7.2.6** 进入开关箱、操作台的配管应排列整齐,管口高出基础面的距离不应小于50mm。

**7.2.7** 配管与电器设备连接时,宜将配管敷设到设备内。在干燥场所配管出口处可用软管引入设备,在潮湿场所或室外的管口应设防水弯头。

**7.2.8** 配管内的导线不应有接头、扭结和破损。

**7.2.9** 电气布线应避开高温阀门、法兰等联接部位。

## 7.3 机上电气及控制装置

**7.3.1** 电机的安装应符合下列规定:

**1** 转子转动应灵活、无异常;

**2** 电机安装应牢固,且应便于拆装和维修;

**3** 引出线端子编号应清晰、完整。接线应正确,空载电流应符合技术文件的规定。

**7.3.2** 电热元件的安装应符合下列规定:

**1** 电热元件的安装应牢固,接线应可靠,并应有防松措施;

**2** 电热元件的电流应符合规定值,且应三相平衡。

**7.3.3** 照明应符合下列规定:

**1** 照明电源应与动力电源分开,且应单独供电,并应有隔离变压器;

**2** 移动灯具应选用安全电压供电;

**3** 蒸箱、烘筒罩壳等箱体上的照明应采用安全电压,特殊场合应根据具体情况选用安全灯具;

**4** 除单只灯头外,吊灯的电源线不应承受灯具的重力。

**7.3.4** 行程开关、传感器等装置的安装应牢固,动作应正确无误。

## 7.4 电气控制系统

**7.4.1** 电气控制系统应采取抗干扰措施。

**7.4.2** 电气控制系统中的报警装置应可靠、灵敏。

**7.4.3** 各单元机限位调节固定后不得随意移动。

**7.4.4** 各种手柄操作位置、按钮、控制显示和讯号等应与实际动作和运动方向相符。压力、温度、流量等仪器仪表指示应正确、灵敏可靠。

**7.4.5** 电源的类型、等级和容量，过压、欠压、过流等保护装置应符合产品技术文件的规定。

**7.4.6** 模拟操作时，工艺动作、指示、讯号和连锁装置应正确、灵敏、可靠。

## 7.5 仪器仪表

**7.5.1** 仪器仪表的选型应符合相应的环境条件。

**7.5.2** 仪器仪表的安装位置不得倾斜，不宜安装于有机械振动的零部件上。

**7.5.3** 仪表应安装在便于观察、维护和操作的场所。多块仪表集中安装时，宜并排或并列布置，并宜留有操作、维护空间。

**7.5.4** 仪表用电线、电缆、补偿导线、仪表隔热等安装应符合设计要求。

# 8 设备的试运转与验收

## 8.1 一般规定

**8.1.1** 设备工程安装与质量验收应使用经检定、校准合格的计量器具。

**8.1.2** 设备安装质量检验合格后应进行试运转，并应制定每台(套)设备的试运转程序和技术要求，同时应做好检验记录。整体拖动的设备统一试运转时，上一道工序未合格前，不得进行下一道工序的试运转。

**8.1.3** 每台设备的电动机在试运转前应与被拖动设备分开，单独试运转，且应检查转向、电流、电压及绝缘性能等，并应在合格后再与设备相连。

**8.1.4** 设备空车试运转时间应符合合同约定或按设备说明书要求，无特殊规定时，应使设备达到稳定状态，且运转时间不宜小于2h。负荷运转时应缓慢均匀加载，并应随时检查设备运转及电机电流波动情况。设备调试前，公共工程系统、设备操作和控制系统的安全保障措施应满足要求，并应处于正常状态。

**8.1.5** 正常开车、停车程序以及紧急停车的操作步骤和处理措施应符合设备技术文件要求。

**8.1.6** 设备试运转应按规定时间连续运行，中途出现故障应另计起始时间。

**8.1.7** 试运转前应对所有参加试车人员进行安全教育。操作人员应熟知操作规程，掌握操作程序及各项技术规定和安全守则。

**8.1.8** 现场应配置消防、灭火设施。

## 8.2 机械部分

**8.2.1** 试运转前机械部分应符合下列规定：

1 全机应清理干净，周围环境应清洁、无杂物；

2 齿轮箱、轴承等应清洁，并应注入规定牌号的润滑油、脂；

3 润滑系统油路应畅通，油位应符合技术文件的要求；

4 物料通道应洁净、畅通；

5 手动盘车时应运动平稳、无异响、无卡滞、无摩擦和碰刮现象；

6 进、出口阀门应处于最小负荷状态；

7 所有危险区域、部位应有安全标识。

**8.2.2** 空车运转应符合下列规定：

1 紧固件不得松动。

2 设备运转方向、动作应符合技术文件的规定。

3 安全装置、防护装置、急停装置、离合器、制动装置应灵敏、可靠、有效。

4 安全阀、调速器应符合技术文件的规定。

5 传动带、链条张力松紧应适度。

6 各回转部位运转应平稳、无异常振动和冲击声响及异常的发热和磨损。

7 轴承温升应符合技术文件的规定。

8 速度调节机构由低到高调节应自如、准确。负载调节机构由小到大加载应均匀。

9 气缸动作应灵敏、无冲击爬行现象，各控制阀门及调速手柄转动调节应灵活、开关自如。

10 油、气、汽、水等各类管道应通畅、清洁、密封良好、无泄漏。

## 8.3 电气部分

**8.3.1** 设备通电前，应按技术文件的要求对所有的电气线路进行全面检查。

**8.3.2** 空车试运转电气系统应符合下列规定：

1 电气控制柜、电气仪表、安全指示、照明控制系统等应准确可靠；

2 变频器电流保护值应正确；

3 电气元件、检测装置、自停机构、信号显示器及安全连锁装置应可靠，动作应灵敏，显示应准确。

## 8.4 安装工程验收

**8.4.1** 设备试运转后应切断与设备连接的电源、热源、水源、汽源等，各阀门应复位。

**8.4.2** 设备试运转后应卸压，卸负荷，排净水、汽或其他介质，并宜擦净、吹干。

**8.4.3** 检查各主要部件的配合和连接情况，精度应无变化。复查各紧固件松动情况，松动时，应重新紧固。

**8.4.4** 预留的零部件和其他附属装置应安装完好。

**8.4.5** 设备试运转记录应整理齐全。

**8.4.6** 工程验收时应具备下列资料：

1 与设备安装相关的竣工图或按实际完成情况注明修改部分并签字认可的施工图；

2 设计文件及设计修改文件；

3 各工序的安装检验记录；

4 试运转记录；

5 重大问题的处理文件；

6 安装工程竣工验收单；

7 其他有关资料。

**8.4.7** 安装工程验收资料应由设备安装方负责收集、整理和撰写。

**8.4.8** 安装工程质量不符合要求时，应及时处理或返工，并应重新进行验收。

# 本规范用词说明

**1** 为便于在执行本规范条文时区别对待，对要求严格程度不同的用词说明如下：

**1**）表示很严格，非这样做不可的：

正面词采用“必须”，反面词采用“严禁”；

**2**）表示严格，在正常情况下均应这样做的：

正面词采用“应”，反面词采用“不应”或“不得”；

**3**）表示允许稍有选择，在条件许可时首先应这样做的：

正面词采用“宜”，反面词采用“不宜”；

**4**）表示有选择，在一定条件下可以这样做的，采用“可”。

**2** 条文中指明应按其他有关标准执行的写法为：“应符合……的规定”或“应按……执行”。

# 引用标准名录

《混凝土强度检验评定标准》GB/T 50107

《工业设备及管道绝热工程施工质量验收规范》GB 50185

《机械设备安装工程施工及验收通用规范》GB 50231

《工业金属管道工程施工规范》GB 50235

《现场设备、工业管道焊接工程施工及验收规范》GB 50236

《风机、压缩机、泵安装工程施工及验收规范》GB 50275

《起重设备安装工程施工及验收规范》GB 50278

《棉纺织设备工程安装与质量验收规范》GB/T 50664

《固定式钢梯及平台安全要求　第3部分:工业防护栏杆及钢平台》GB 4053.3

《设备及管道绝热技术通则》GB/T 4272

《蒸汽供热系统凝结水回收及蒸汽疏水阀技术管理要求》GB/T 12712

《固定式压力容器安全技术监察规程》TSG R0004

《特种设备制造、安装、改造、维修许可鉴定评审细则》TSG Z0005

中华人民共和国国家标准

# 色织设备工程安装与质量验收规范

GB/T 51090 - 2015

## 条 文 说 明

# 制 订 说 明

《色织设备工程安装与质量验收规范》GB/T 51090—2015 经中华人民共和国住房和城乡建设部 2015 年 2 月 2 日以第 730 号公告批准发布。

本规范制订过程中，编制组对国内色织设备的发展、生产、用户使用情况等进行了调查研究，总结了我国色织设备工程建设的实践经验，以设备安装经验和科学技术的综合成果为依据，将已鉴定或经实践检验、技术成熟、经济合理的科研成果纳入本规范，从中获得了设备安装工程的重要技术参数。规范编制中的技术内容参考了色织设备的产品标准、技术条件、使用说明书，并执行了现行国家标准《机械设备安装工程施工及验收通用规范》GB 50231 和《机械电气安全　机械电气设备　第 1 部分：通用技术要求》GB 5226.1的相关条款。

为了便于广大设计、施工、科研、学校等单位有关人员在使用本规范时能正确理解和执行条文规定，本规范编制组按章、节、条顺序编制了本规范的条文说明，对条文规定的目的、依据以及执行中应注意的有关事项进行了说明。但是，本条文说明不具备与规范正文同等的法律效力，仅供使用者作为理解和把握规范规定的参考。

# 目　次

# 1 总　　则

**1.0.2** 绞纱染色由于工艺流程长、纱线匀染程度差、纱线退绕速度低、浴比大、自动化程度低等原因，在我国色织行业的应用正逐渐萎缩。本规范未涉及绞纱设备的工程安装。

本规范未涉及色织布后整理设备的工程安装。色织布的后整理设备，如烧毛机、丝光机、预缩机、拉幅定型机、轧光机、磨毛机等，和一般织物的后整理设备相似，现行国家标准《印染设备工程安装与质量验收规范》GB 50667 中对这些设备的安装要求已有规定。

# 2 术　　语

**2.0.1**　完成染色后的筒子纱，经脱水、烘干、紧式络筒和整经后，方能用于浆纱工序。

**2.0.2**　完成染色后的经轴，经脱水后可直接用于浆纱工序。

**2.0.3**　牛仔布纱线染色的主流工艺有两种。一种是染浆联合生产工艺，其染色工艺为片状染色，其特点是流程短，占地少，适用于多品种、小批量生产。另一种是球经束状染色工艺，其特点是纱线染色时，单纱受力较小，断头停车少，纱线受压均匀，透染程度好，染色均匀，染色时不受浆纱停车的影响，染色连续均匀性好，但其生产流程长，染色后需经分经、浆纱工序，适用于大批量生产作业。

# 3 基本规定

## 3.1 设备基础

**3.1.1** 本条对设备安装基础作出规定。

**1** 强调了设备基础的重要性。现行国家标准《机械设备安装工程施工及验收通用规范》GB 50231 是各类机械设备安装工程施工及验收的通用性要求，本规范第 3.1 节规定了“设备基础”，第 3.2 节规定了“地脚螺栓、垫铁与灌浆”的技术要求，对机械设备安装的基础进一步进行了明确规定；

**2** 本款规定了混凝土设备基础质量应达到的现行国家标准《混凝土强度检验评定标准》GB/T 50107 的要求，且和现行国家标准《机械设备安装工程施工及验收通用规范》GB 50231 配套使用；

**4** 本款强调了设备安装施工人员应按各设备的产品说明书和地脚图施工，打好基础的每个预留口。

**3.1.2** 本条规定了设备安装基础面的弹线。按施工图和有关建筑物的基准线，划定设备安装的基准点、线、辅助线，是保证设备安装合格的第一步。墨线长度不同、宽度不同，产生的误差也不一样，使用不同的墨线时，事先要对墨线可能产生的偏差进行评估，以便弹线后定位尺寸正确。

**3.1.3** 束状染色机、染浆联合机、浆纱机等大型设备中辊筒较多，机器左右方向上留有合适的距离，是维修、拆卸这些辊筒的基本要求。

## 3.2 地脚螺栓、垫铁与灌浆

**3.2.1** 本条对地脚螺栓的紧固及施工进行了规范。地脚螺栓对设备的安装非常重要，施工过程中，根据承载能力和环境的不同，选用的地脚螺栓的性能等级也会有差异。现行国家标准《地脚螺栓》GB/T 799 规定了地脚螺栓的性能等级。

**3.2.2** 本条对胀锚螺栓（膨胀锚栓）的使用要求进行了规范。胀锚螺栓的承载能力小于地脚螺栓，但对基础强度、钻孔直径和深度等有特殊要求。

## 3.4 安装现场的安全卫生

**3.4.3** 本条规定的目的是加强易燃易爆和危险化学物品的管理，防止发生安全事故。

**3.4.5** 本条对设备安装前的清洗和吹扫作出规定。现行国家标准《机械设备安装工程施工及验收通用规范》GB 50231 中规定了液压、润滑管道安装后清洗的技术规定。设备、管道若不清洗、清洁或吹扫干净，可能会污染所输送的液体或气体，堵塞阀门，甚至损坏仪器、仪表。

## 3.5 特种设备及工艺管道

**3.5.1** 本条规定了承压设备及其安全附件等特种设备的安装要求。色织设备中的高压染色机、真空罐、烘筒等均属于承压设备，由于安装而造成的缺陷会导致严重的安全事故。

**3.5.2** 色织布生产线中配置了专用的起重运输设备，如载纱器吊车、经轴吊车等。这些起重设备已成为生产设备的一部分，本条规定了这些设备的安装要求。

**3.5.4、3.5.5** 色织布和牛仔布的纱线染色和浆纱工艺过程中，蒸汽管道、染液输送管道、排放管道很多，其现场布置、组焊、施工、安装、绝热防护等在相关的国家现行标准中均有规定。现行国家标准《工业金属管道工程施工规范》GB 50235 规定了管道焊缝位置、焊接方法、焊后热处理的基本要求、管道安装前具备的条件以及管道安装后检测记录等内容。现行国家标准《工业设备及管道绝热工程施工质量验收规范》GB 50185 规定了绝热层、保护层的施工质量验收以及绝热材料的质量要求。现行国家标准《现场设备、工业管道焊接工程施工及验收规范》GB 50236 规定了焊接检验及焊接工程交接的要求。

# 4 筒子纱和经轴染色主要设备工程安装

## 4.1 松式(紧式)络筒机

**4.1.1～4.1.5** 松式络筒机是对纺纱机纺制的纱线通过自动络筒机络筒后的筒子纱进行松式络筒的机器。松式络筒机的标志之一是其筒管是透孔型、圆柱形,以便于染液在纤维之间渗透。紧式络筒机是对烘干的筒子纱进行络筒,为整经机和织布机提供筒子纱的机器,其筒管为圆锥形。色织用紧式络筒机和松式络筒机均为单锭传动形式,其安装要求基本一致,但与传统的集体传动式络筒机有区别。

## 4.2 松式整经机

**4.2.3** 松式整经机是生产经轴纱的机器。松式整经机的筒子架一般采用大V形,其夹纱器用于纱线的制动,当开车过程中因断纱造成停车时,夹纱器同时夹紧纱线制动,保持纱线自由端张力适当,无浪纱、无缠纱,且对纱线表面无损伤。断经自停装置则是靠不断检测纱线数量判断断纱位置。

## 4.3 蒸 纱 机

蒸纱的目的是通过对筒子纱进行汽蒸,增强筒子纱在染色过程中的尺寸稳定性,减少筒子纱染色后的内外层色差。在色织布生产过程中,常温蒸纱机应用较多,但对于定型温度较高的纱线,如聚烯烃类纤维,须使用高温高压蒸纱机。本节的内容侧重于高温高压蒸纱机。

## 4.4 染 色 机

**4.4.5** 染色循环管道流量不稳定时,可以对管道设置必要的支撑，防止管道振动。

4.4.6 高温高压染色机一般属于承压设备，在温度、压力降到设定值前，温度、压力、液位的安全连锁装置的有效运行是机器安全使用和操作者安全的保证。

4.4.8 安全阀的正确安装，合适的开启压力是保证染色机正常生产的前提。

## 4.5 脱 水 机

4.5.1 离心脱水机主要适用于筒子纱。脱水后的筒子纱，需要经过烘干机进行干燥。离心脱水机底座较重，其地基混凝土和基础安装面应满足安装要求。

4.5.2 真空脱水机主要适用于经轴纱的脱水。脱水后的经轴纱仍然含有一定的水分，不需要烘干，在浆纱工序可以起到预湿的作用。

## 4.6 射频烘干机

4.6.2 高频发生器工作频率在25MHz以上，工作时需要使用高电压。三极管是高频发生器件，规范安装非常重要。

4.6.3 三极管一般保存在恒温环境中，如果取出后直接安装，其表面会形成冷凝水，从而影响三极管的正常使用。

# 5 牛仔布纱线染色主要设备工程安装

## 5.1 球 经 机

**5.1.5** 球经整经是将织物总经根数分成几份，并将经纱引成绳状纱束，以交叉卷绕结构松软地卷绕成圆柱状球形，为绳状染色作准备。束纱回绕架是先把纱线分布在一个平面内，再引整成一束纱的机构。束纱回绕架与纱架、卷绕机构之间的合适距离对保证分经时纱线不打结十分重要。

## 5.2 束状染色联合机

**5.2.1～5.2.4** 束状染色是将数百根经纱集成束状，制成球经，再将一定数量的球经同时送入染色机多个常温染槽中反复浸轧，经纱在一起互相重叠挤压，受到轧辊均匀的压力，浸渍时间较长，经多次透风氧化后，使纱线透染程度一致、均匀。束状染色联合机很长，进纱装置、染色装置、烘筒烘燥机、落纱装置安装时，保证机架中心线与机台中心线的允许偏差是安装的首要工作。

## 5.3 分纱整经机

**5.3.2** 拨纱装置和纱线回绕摆动架属于纱线卷轴部分。拨纱装置由单独电机拖动皮带，固定在皮带上的拨针拨打纱线，使纱线蓬松不打结；纱线回绕摆动架则是通过筘针使束纱分成片纱。储纱架用于当工作中出现断纱，经轴需要反转退纱时，储存经轴所推出的纱线并保证纱线有一定的张力。张力装置则是利用方形截面轴在工作中的抖动而使纱线蓬松。

**5.3.3** 磁粉制动器驯化运转的目的是为了使磁粉均匀，制动器性能稳定，从而更好地控制纱线张力。

## 5.4 染浆联合机

**5.4.1～5.4.4** 染浆联合工艺的特点是染色和浆纱工序合并，片纱在常温常压下，经过多次浸染、多次氧化。染浆联合机很长，车头、张力架、烘房、浆槽、储纱架等安装时，保证机架中心线与机台中心线的横向偏移允许偏差是安装的首要工作。

# 6　织造主要设备工程安装

## 6.5　经浆联合机

**6.5.2、6.5.3**　在经浆联合机中，整经和浆纱工序在一台机器上完成。经浆联合机很长，其张力装置、上蜡装置、烘房机架、浆槽、经轴架等安装时，保证机架中心线与机台中心线的横向偏移允许偏差是安装的首要工作。

## 6.7　卷布包布机

**6.7.1、6.7.2**　色织布连续化的生产工厂一般在织布后采用验布打卷，后道工序节省人工并避免折印等质量问题。只有织造而无后整理工序的非连续化生产工厂一般在织布后直接打包。

# 7 电气设备及控制系统的要求

## 7.1 电气控制柜

**7.1.1～7.1.8** 本节规定符合现行国家标准《机械电气安全 机械电气设备 第1部分:通用技术要求》GB 5226.1的有关规定。

## 7.2 电缆桥架和配管

**7.2.1～7.2.8** 这几条规定符合现行国家标准《建筑电气工程施工质量验收规范》GB 50303的有关规定,主要内容有"电缆桥架安装和桥架内电缆敷设","电缆沟内和电缆竖井内电缆敷设","电线导管、电缆导管和线槽敷设","电线、电缆穿管和线槽敷线","电缆头制作、接线和线路绝缘测试"。

# 8 设备的试运转与验收

## 8.1 一 般 规 定

**8.1.1** 本条明确了所用计量器具的要求，目的是为了确保设备工程安装的检查质量。

**8.1.2** 本条是对设备安装完毕后进行试运转中的要求。试运转的先后顺序很重要，一般在上一步试运转合格后方可进行下一步的试运转，除非上一步试运转的个别项目对下一步的试运转不会产生影响。

**8.1.4** 本条是为了综合考核设备的试运转情况。

## 8.2 机 械 部 分

**8.2.1** 本条规定了机械部分试运转前的准备要求。

**8.2.2** 本条规定了机械部分试运转时应着重检查的项目。

## 8.4 安装工程验收

**8.4.1～8.4.4** 这几条规定了设备试运转后的基本要求。

**8.4.6、8.4.7** 这两条规定了安装工程验收合格后双方交接的依据。

统一书号：1580242·681

定　　价：13.00 元